Humm !

fourré aux légumes,
TROP BIO !

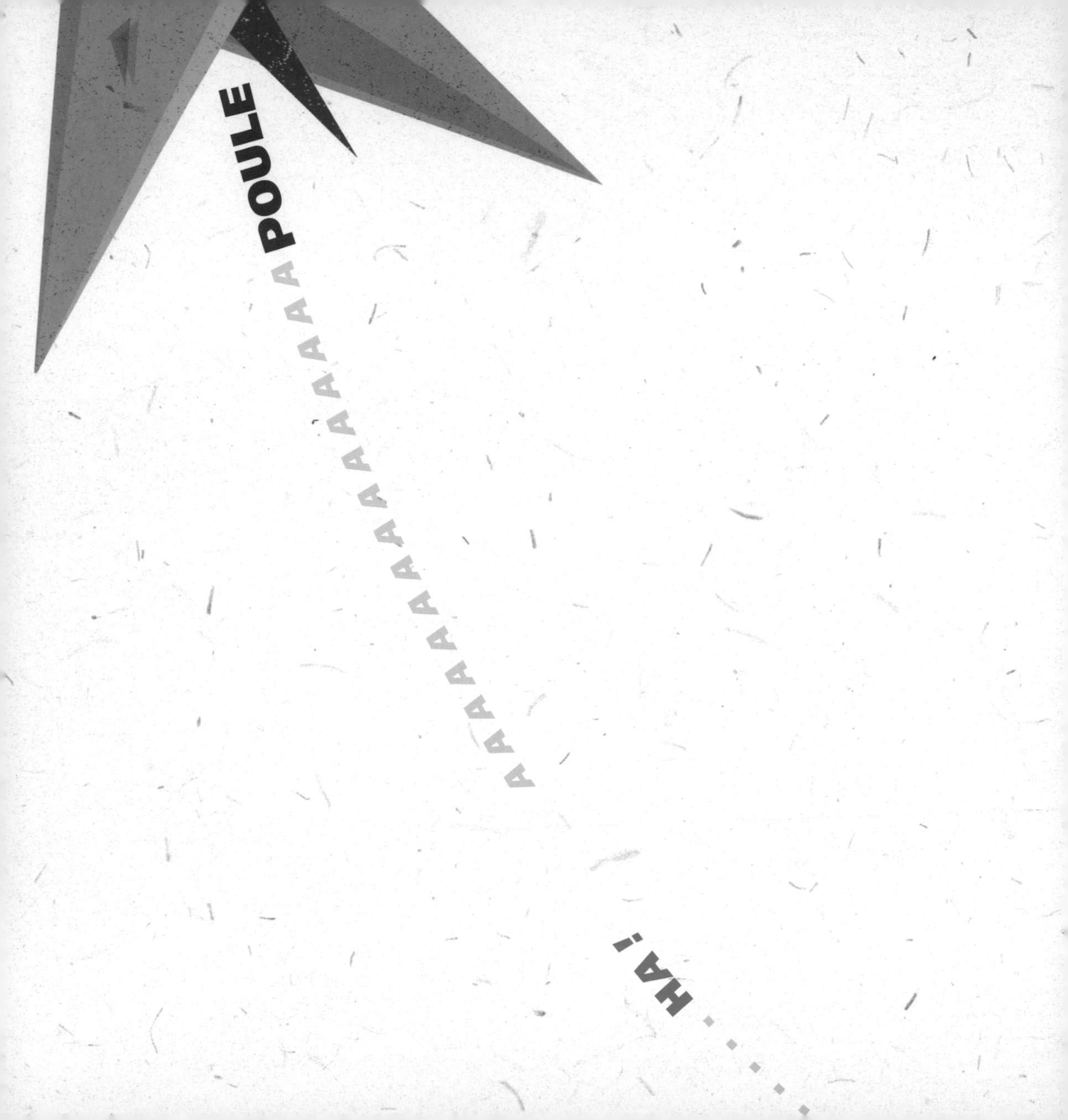
POULE
AAAAAAAAAAAAAAA
HA!......

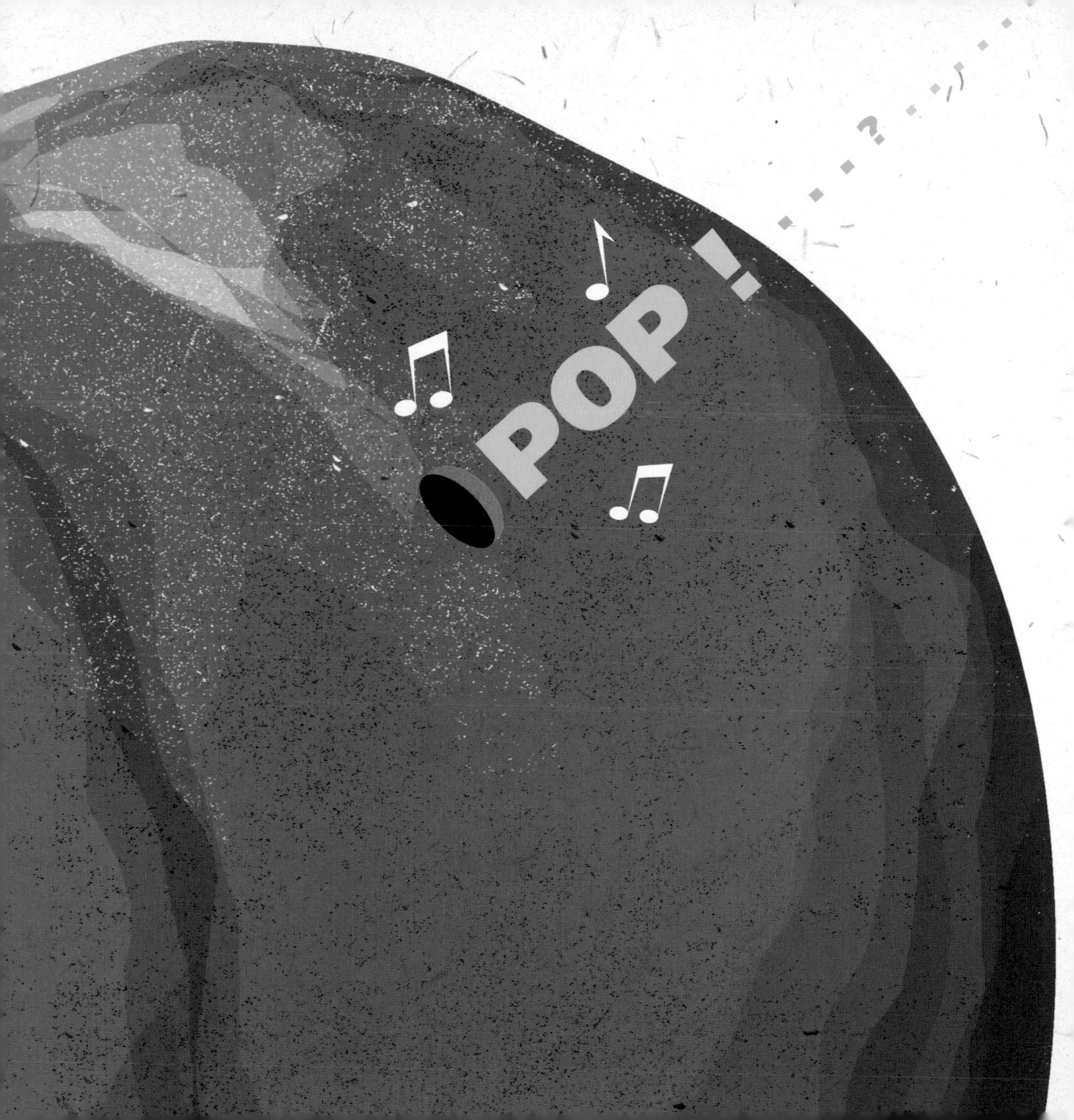
POP !

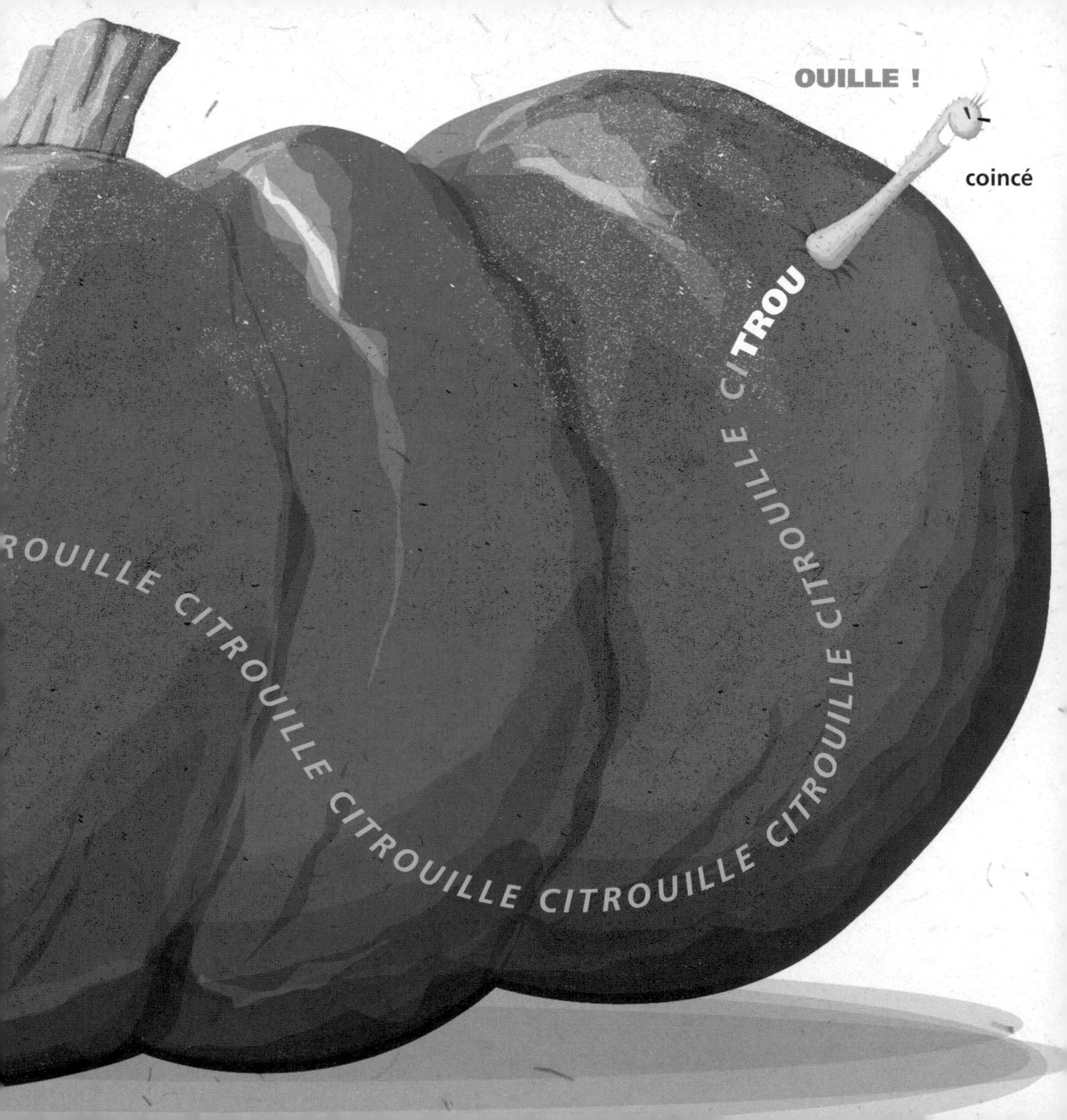

ROUILLE CITROUILLE CITROUILLE CITROUILLE CITROUILLE CITROUILLE CITROU

OUILLE !

coincé

PURÉE !

CITROUILLE CITROUILLE CITROUILLE CITROUILLE CITROUILLE CITROUILLE CITROUILLE CITROUILLE CITROUILLE CITROUILLE CITROUILLE

RADIN !

WIK WIK WIK

RADIS

WIK WIK WIK

... PÈTE

PARDON

WIK WIK WIK WIK WIK WIK WIK

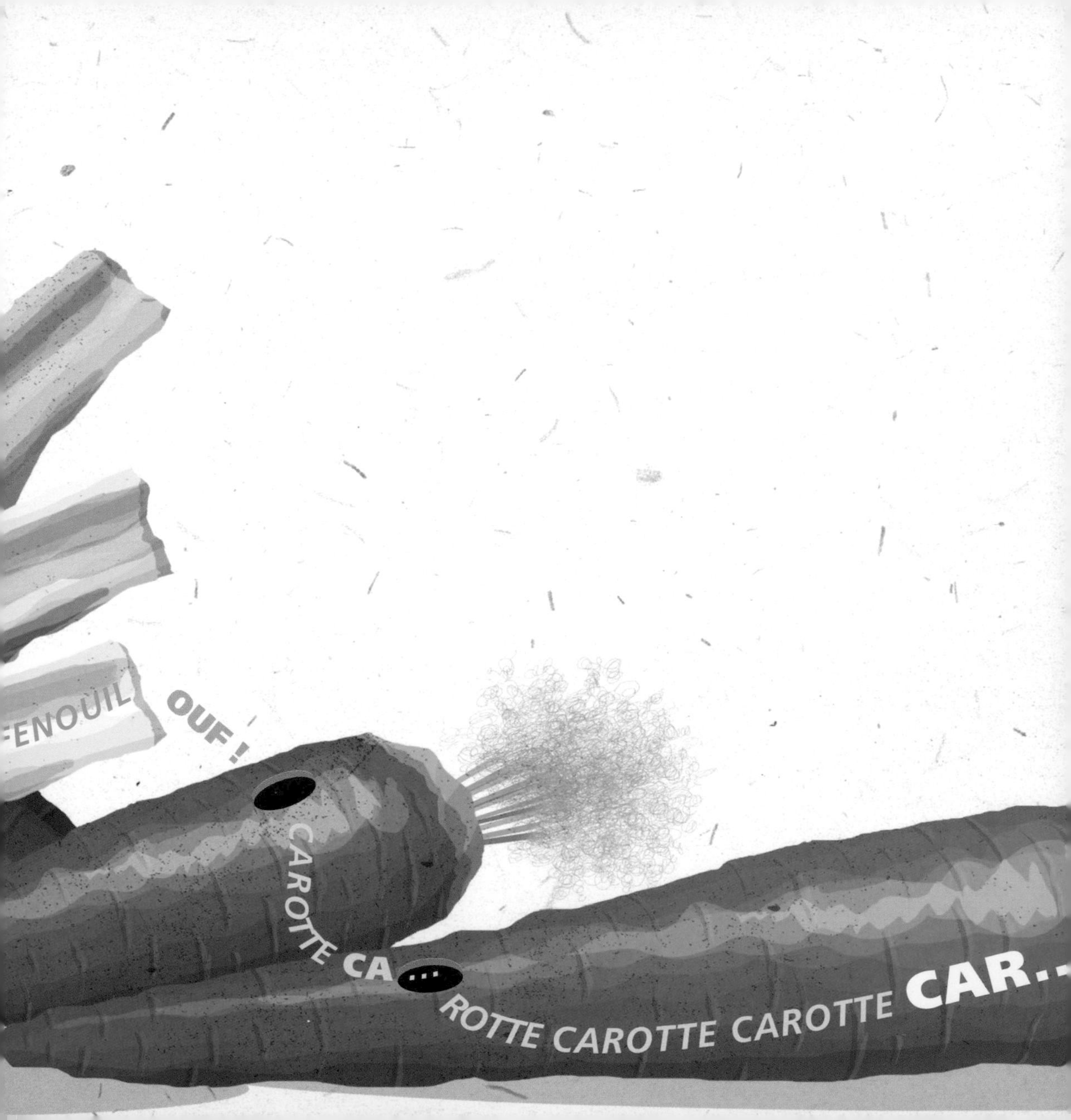
FENOUIL
OUF !
CAROTTE
CA...ROTTE CAROTTE CAROTTE CAR...

OUILLE !

AÏE

AÏE

AIL AIL AIL AIL

FENOUIL FENOUIL FENOUIL FENOUIL FENOUIL

FENOUIL FENOUIL FENOUIL FENOUIL

AH !
A A A A A A A A A A A A A A A A A A
ASPERGE ASPERGE ASPERGE ASPERGE ASPERGE
AÏE !
AIL AIL AIL AIL AIL AIL AIL AIL

BE DOO WA
AH ! PATATRAA A A A A A A A
PATATE PATATE
ASPERGE ASPERG

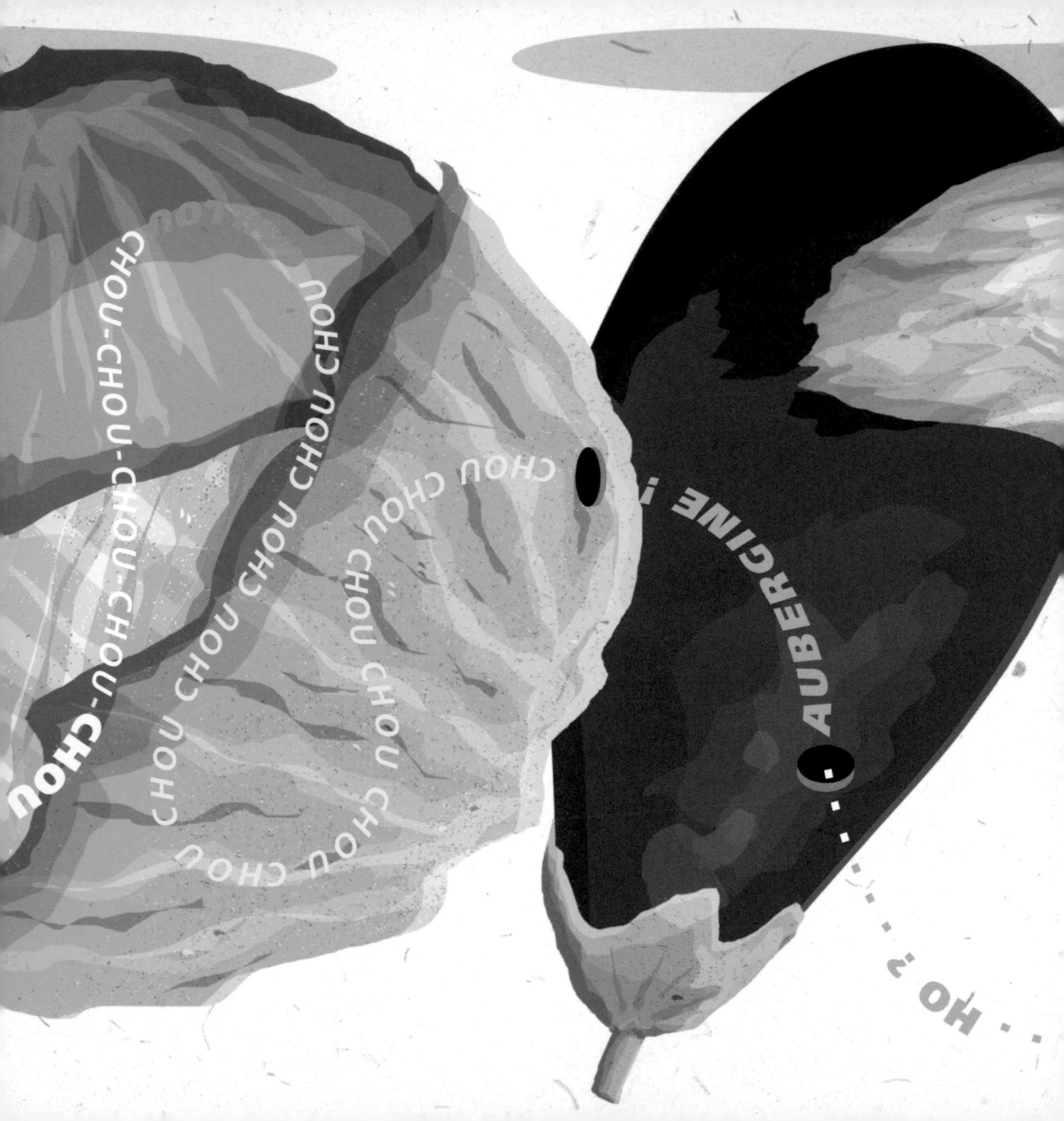

. . HO ? . . .

AUBERGINE !

CHOU CHOU CHOU CHOU CHOU CHOU CHOU CHOU CHOU CHOU CHOU

CHOU-CHOU-CHOU-CHOU-**CHOU**

STRIKE !

HO ?! . . . . .

ENDIVE ENDIVE ENDIVE ENDIVE ENDIVE ENDIVE ENDIVE ENDIVE ENDI

?
PETITS POIS

GETTE

UUUUUUUUUUUUUUUURR.

HOP
COU ouuuuuuuuuuuuuuuuuuuuuuu

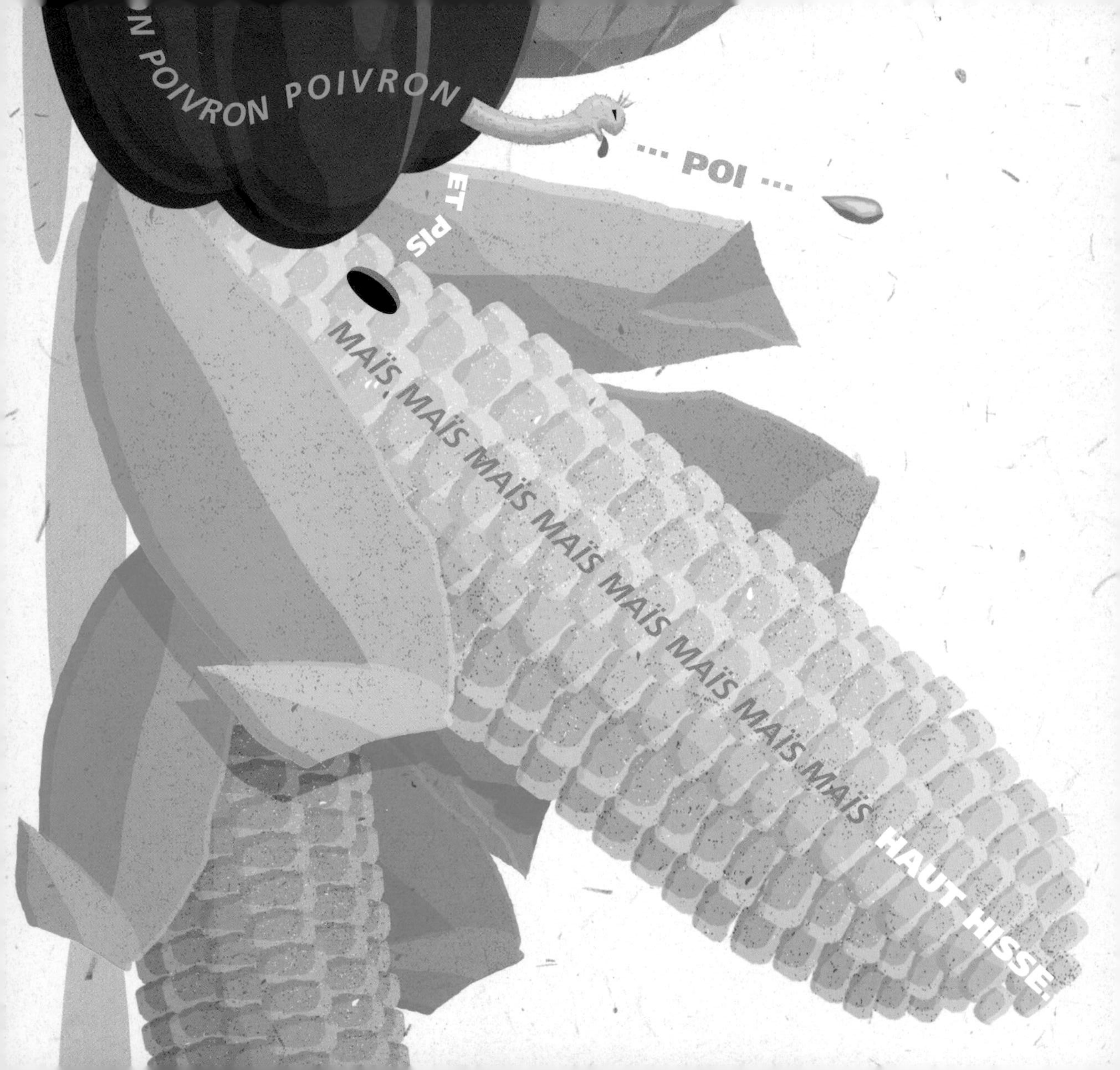

N POIVRON POIVRON

... POI ...

ET PIS

MAÏS MAÏS MAÏS MAÏS MAÏS MAÏS MAÏS MAÏS

HAUT HISSE!

PARDON

ROT

CÉLERI CÉLERI CÉLERI CÉLERI CÉLERI CÉLERI CÉLERI CÉLERI CÉLERI CÉLERI CÉLERI C'EST LE POIVRON POIVRON PO

HOP POIREAU POIREAU POI

POIREAU HOP NAVET NAVET NAVET NAVET NAVET

TROU

TOMATE TOMATE TOMA-

POIREAU POIR

Jean Gourounas

Grosse Grosse Grosse LÉGUME ...

ROUERGUE

Humm !
... HIK.

IK WIK WIK WIK WIK WIK WIK WIK WIK